JIM DAVIS

Garfield

JE SUIS UN GROS CHAT

Traduction Jeannine DAUBANNAY

DARGAUD EDITEUR

PARIS • BARCELONE • LAUSANNE • LONDRES • MILAN • MONTREAL • NEW YORK • STUTTGART

DU MÊME AUTEUR
EN ALBUM. CARTONNÉ

GARFIELD PREND DU POIDS

DEMANDEZ-LES À VOTRE LIBRAIRE

Dépôt légal : Octobre 1984
I S B N 2-205-02453-1
I S S N 0153-0968
Imp. en France en Octobre 1984 - Imprimerie du Marval / 94400 Vitry-sur-Seine
Printed in France

“JE SUIS GROS, JE SUIS FAINÉANT ET J’EN SUIS FIER...”

KERCHUNK!
8-28

UN NOUVEAU RECORD MONDIAL!

QUAND DONC AVEZ-VOUS EN-FONCÉ 44 TOUCHES DE MA-CHINE A ECRIRE D'UN COUP?
JIM DAVIS

© 1979 United Feature Syndicate, Inc.
8-29
OH, NON!
GARFIELD A ENCORE MANGÉ MON DENTIFRICE!
JIM DAVIS
3

J'AIME BIEN ALLER AU DEVANT DU DANGER...
8-30

SPLOOSH!

YIPEEE, HA-HA, WHEEE
© 1979 United Feature Syndicate, Inc.
JIM DAVIS
4

VOICI MA FOURMI FAVORITE, LYLE! ELLE EST GENTILLE, CALME ET TRAVAILLEUSE!
8-31
JIM DAVIS

SPLAT!

LA "DERNIÈRE" LYLE LOUCHAIT AUSSI VERS MON PLAT DE LASAGNE...
5
1979 United Feature Syndicate, Inc

9-1
© 1979 United Feature Syndicate, Inc.

QUOI ?! OU ÇA ?!

IL A RECOMMENCE...
JIM DAVIS
6

DEVINE QUOI, GARFIELD ? PENDANT QUE M'MAN ET P'PA PRENNENT UNE SEMAINE DE VACANCES, NOUS GARDERONS LEUR PETIT CHAT!
9-3

JE TE PRESENTE NERMAL...

REVEILLE-MOI DANS UNE SEMAINE!
© 1979 United Feature Syndicate, Inc.
JIM DAVIS

HOU!
GARFIELD!

NOUS PARTONS EN VOYAGE GARFIELD! ALORS SAUTE DANS TA NOUVELLE MALLETTE A CHAT, ICI!

7

LAISSE-MOI T'EXPLIQUER ÇA AUTREMENT! AVANT QUE NOUS PARTIONS EN VOYAGE, L'UN DE NOUS DEVRA ENTRER DANS CETTE MALLETTE A CHAT...
POURQUOI NE PAS L'AVOIR DIT?

SCUFFLE
SCUFFLE
STRUGGLE
GRAB!
STUFF
STUFF

JE VAIS PASSER UNE SEMAINE A FAIRE LA NOURRICE POUR NERMAL, LÀ!... IL EST GENTIL...
9-4
1979 United Feature Syndicate, Inc.

JE HAIS LES "GENTILS"!
JIM DAVIS

TE CASSE PAS, JACK! J'AVAIS PRIS LA POSE DE CHOC POUR LES CARTES DE VOEUX...
10

OKAY, NERMAL! VOILÀ UN CHIEN... TUE!
9-5
© 1979 United Feature Syndicate, Inc.

OH, NERMAL! NERMAL, NERMAL, NERMAL.
JIM DAVIS
11

BEURK!
GARFIELD
9-6
© 1979 United Feature Syndicate, Inc.

DES POILS DE NERMAL SUR MA NOURRITURE !
GARFIELD

JE NE SUPPORTE PAS LES POILS DE CHATS A MOINS QUE CE SOIT LES MIENS...
GARFIELD
JIM DAVIS

12

ENLÈVE CES PATINS A ROULETTES, GARFIELD! TU ES RIDICULE!..

13
JIM DAVIS

NERMAL NOUS QUITTE... FAIS-LUI BYE-BYE, GARFIELD!
9-8

J'AVAIS DE LA SYMPATHIE POUR CE PETIT COPAIN...

AUTANT QUE POUR UNE GRIPPE INTESTINALE...
JIM DAVIS
14
© 1979 United Feature Syndicate, Inc.

9-10
© 1979 United Feature Syndicate, Inc.
YAWN

OH! JE VOIS UNE BELLE PLACE POUR DORMIR...

JIM DAVIS
SI ÇA NE T'ENNUIE PAS GARFIELD!
17

SPLOOSH!

JE VOIS D'ICI LES TITRES DES JOURNAUX ..."LE PLUS CÉLÈBRE CHAT DU MONDE SE NOIE EN MER. DES MILLIONS DE JOLIES CHATTES ACCABLÉES DE DOULEUR!

JE N'Y ARRIVE PAS! C'EST LA TROISIEME FOIS QUE JE M'ENFONCE!
15

OH NON! UN COURANT VICIEUX M'ENTRAÎNE DANS LA MER!

JE SUIS TROP JEUNE POUR MOURIR!
9-9

JE T'AI SAUVÉ LA VIE, GARFIELD!.. MAIS JE NE VAIS QUAND MÊME PAS TE FAIRE DU BOUCHE-A-BOUCHE POUR TE RÉANIMER...
JIM DAVIS
16

SAC! PILLAGE! ARRACHE! DETRUIS!
9-11

BONK!

PLAINTE, BOITE, CRI, BLESSURE, GEMIS...
18
JIM DAVIS
© 1979 United Feature Syndicate Inc

IL EST TEMPS DE METTRE TA LAISSE POUR UNE PROMENADE...
9-12

ALLEZ, VIENS, GARFIELD! CE N'EST PAS SI DÉSAGRÉABLE!

© 1979 United Feature Syndicate, Inc.
JIM DAVIS

19

JE SAIS GARFIELD! QUE TU N'AIMES PAS TA LAISSE, GARFIELD, MAIS IL LE FAUT!

ALORS ARRÊTE ÇA!

JIM DAVIS
© 1979 United Feature Syndicate, Inc
20
9·13

ODIE, TU ES TRÈS MALIN...
© 1979 United Feature Syndicate, Inc.

SAIS-TU CE QUE J'APPRÉCIE LE PLUS EN TOI, GARFIELD?

JE SUIS TRÈS PROPRE...
TU ES TRÈS PROPRE...
JIM DAVIS

21

CERTAINS DISENT QUE NOUS SOMMES SALES...
© 1979 United Feature Syndicate, Inc.
9-15

C'EST POSSIBLE!

MAIS ESSAYEZ DE MANGER VOTRE PROCHAIN REPAS SANS VOS MAINS ET NOUS VERRONS CE QUE VOUS SAVEZ FAIRE!
JIM DAVIS
22

ATTENTION, L'AMÉRIQUE ! PAR LA PRÉSENTE JE DÉCLARE CETTE SEMAINE, SEMAINE NATIONALE DES GROS !
© 1979 United Feature Syndicate, Inc.

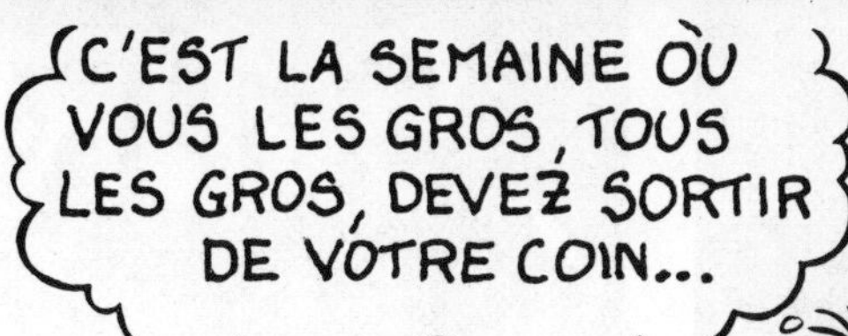
C'EST LA SEMAINE OÙ VOUS LES GROS, TOUS LES GROS, DEVEZ SORTIR DE VOTRE COIN...

CEUX D'ENTRE VOUS QUI AVEZ PU ENTRER DEDANS, BIEN SÛR...
JIM DAVIS

25

SMACK
MUNCH
SLURP

ZZZ
23

ZZZ
JIM DAVIS

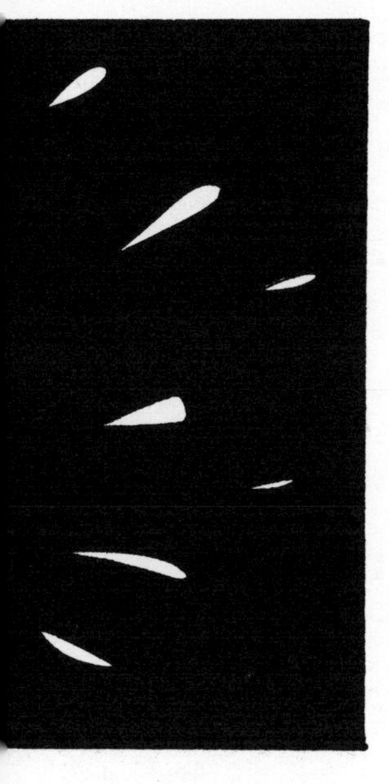

CLICK!
9·16

JE NE SAVAIS PAS QUE LES CHATS POUVAIENT MANGER EN DORMANT...

MAIS JE SAIS QU'ILS NE PEUVENT PAS FAIRE LEURS GRIFFES EN DORMANT!...
JE N'AURAIS PAS DU INSISTER...
1979 United Feature Syndicate Inc
24

C'EST LA SEMAINE NATIONALE DES GROS! TOUS LES GENS GROS, JE VEUX VOUS ENTENDRE DIRE : "JE SUIS GROS, ET J'EN SUIS FIER!"
© 1979 United Feature Syndicate, Inc.
JIM DAVIS

PLUS FORT! "JE SUIS GROS, ET J'EN SUIS FIER!"

9-18

VOUS... LE GRASSOUILLET DE SEATTLE, JE NE VOUS AI PAS ÉNTENDU!
26

VOICI UNE DEVISE POUR LA SEMAINE NATIONALE DES GROS...
© 1979 United Feature Syndicate, Inc.

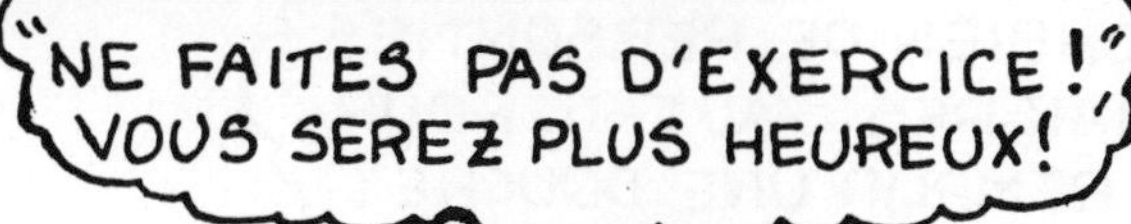
"NE FAITES PAS D'EXERCICE!" VOUS SEREZ PLUS HEUREUX!

AVEZ-VOUS DÉJÀ VU RIRE QUELQU'UN QUI S'ENTRAINE?
JIM DAVIS
9-19
27

VOICI UNE BLAGUE MAIGRE POUR LA SEMAINE NATIONA-LE DES GROS...
9-20
JIM DAVIS

COMBIEN DE PERSONNES MAIGRES FAUT-IL POUR REMPLIR UNE DOUCHE?

J'EN SAIS RIEN : ILS S'ÉCOULENT TOUS PAR LA VIDANGE !

28

BIEN, FRÈRES ET SOEURS GROS ET GRAS, VOICI LE DERNIER JOUR DE LA SEMAINE NATIONALE DES GROS...
9-22

SOUVENEZ-VOUS : "LE ROND EST BEAU!"

MAINTENANT, PARTONS MANGER UN BON POULET !..
JIM DAVIS

29

NOTE DU DESSINATEUR :

AUJOURD'HUI, CE QUE VOUS DIT GARFIELD EST A LIRE UNIQUEMENT PAR LES GROS, OU PAR CEUX AYANT TENDANCE A ENGRAISSER. VOUS, LES MAIGRES, VOUS POUVEZ LIRE LES AUTRES BANDES, OU ALLER COURIR, OU BOIRE UN VERRE D'EAU, OU FAIRE N'IMPORTE QUOI ... JE NE VEUX PAS LE SAVOIR.

30

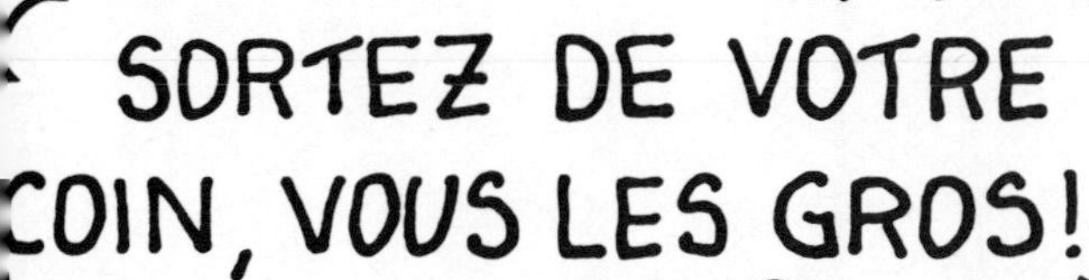
SORTEZ DE VOTRE COIN, VOUS LES GROS!

CETTE SEMAINE NOUS MANGERONS SANS NOUS CUL-PABILISER...

J'AURAIS AIMÉ UNE CONVENTION NATIONALE...

MAIS JE NE POURRAI PAS ME PROCURER LES PARCS A BESTIAUX DE KANSAS CITY POUR L'APPROVISIONNER!
JIM DAVIS

31

LÀ, FAIS ATTENTION, GARFIELD...

SE SUSPENDRE AUX RIDEAUX PEUT ÊTRE TRÈS DOULOUREUX...
PARCEQUE JE VAIS TE BROYER LES PATTES SI TU NE LES EN-LEVES PAS DE LÀ IMMÉDIA-TEMENT!
JIM DAVIS
9-24

32

GASP! CHOKE! WHEEZE!
9-25
OH! NON, ÇA NE MARCHE PAS GARFIELD!

AUTANT POUR LA TECHNIQUE ROUTINIÈRE "JOUEZ-AU-MALADE-ET-PIQUEZ-LE-POULET-PENDANT-QUE-VOTRE-MAÎTRE-APPELLE-LE-VÉTÉRINAIRE!"
JIM DAVIS
© 1979 United Feature Syndicate, Inc
33

GARFIELD! A TABLE!
9-26
BONK!
J'AI RECOMMENCÉ! J'AI FONCÉ AVANT D'ÊTRE RÉVEILLÉ!
34
© 1979 United Feature Syndicate, Inc.
JIM DAVIS

WAG
WAG
WAG
© 1979 United Feature Syndicate, Inc.

STOMP!

WAG
WAG
WAG
35 9-27
JIM DAVIS

© 1979 United Feature Syndicate, Inc.
9-28

MEYOW

LAISSE-MOI DEVINER! TU ES RETOURNÉ DANS LES HARENGS MARINÉS!
JIM DAVIS
36

MANGE ! GARFIELD !
MEYOW
GARFIELD
1979 United Feature Syndicate, Inc.
9-29

IL EST DIT ICI QUE C'EST UNE NOUVELLE NOURRITURE POUR CHATS, "EMBELLISSANTE"...
MUNCH MUNCH
GARFIELD

MEYOW !
GARFIELD
JIM DAVIS

38

9-30

OH! SAPRISTI!
39

LE JARDIN DE JON A SUBI UN PETIT DIVERTISSEMENT...
JIM DAVIS
1979 United Feature Syndicate, Inc

IL EST RECONFORTANT DE SAVOIR QUE LES HAUTES VALEURS EXI-GÉES PAR L'INSTITUTION SACRÉE DU MARIAGE NOUS SOUTIENNENT ENCORE A CE JOUR...
EN UNE DEMI-SECONDE!
JIM DAVIS

40

ELLE RESPIRE !

CETTE LIZ EST VRAIMENT UN TRÈS JOLI MORCEAU DE VÉTÉRINAIRE !
ELLE A LA QUALITÉ QUE JE PRÉFÈRE CHEZ UNE FEMME...
10-2
JIM DAVIS

1979 United Feature Syndicate, Inc.
JE SUIS TOUT DE SUITE A VOUS, MR. ARBUCKLÉ!

JE RESTERAI ICI TANT QU'IL LE FAUDRA, DOCTEUR!
ÇA PROUVE UN ÉTAT D'ESPRIT PARTICULIÈR-EMENT DÉBILE!

POURQUOI EST-CE QU'ELLE ME REMBAR-RE TOUJOURS?
TU ES SI REMBARRABLE!
10·3
JIM DAVIS
42

QUE PENSERIEZ-VOUS DE SORTIR AVEC MOI, DOCTEUR?
JE NE SORTIRAIS PAS AVEC VOUS MÊME SI VOUS ETIEZ LE DERNIER DES HOMMES SUR TERRE!
10-4

BON, ALORS ET APRÈS ÇA?
ELLE EST BONNE!
JIM DAVIS
1979 United Feature Syndicate, Inc.

43

POURQUOI NE VOULEZ-VOUS PAS SORTIR AVEC MOI, DOCTEUR?
PARCE-QUE JE HAIS TOUT EN VOUS!
10-5

ÇA SIGNIFIE QUE NOTRE MARIAGE EST HORS DE QUESTION?
DON QUICHOTTE FRAPPE ENCORE!
JIM DAVIS
1979 United Feature Syndicate, Inc.
44

QUE PENSEZ-VOUS D'UN RENDEZ-VOUS DOCTEUR?
RIEN A FAIRE!
10-6

MMMMM

PARFAIT! ALORS A HUIT HEURES!
SI VOUS NE POUVEZ LA CONVAINCRE, TROUBLEZ-LA!
JIM DAVIS
© 1979 United Feature Syndicate, Inc.

45

ATTENTION

HMMM, DU CI-
MENT FRAIS...

BARK!
BARK!

SPLUT!
OOPS!

© 1979 United Feature Syndicate Inc

SLURP
47

LASSIE SERAIT PARTIE CHERCHER DU SECOURS!
JIM DAVIS
10-7

JE SUPPOSE QUE TU VEUX SAVOIR COMMENT S'EST PASSÉ MON RENDEZ-VOUS AVEC LIZ, LA VÉTÉRINAIRE... NE DEMANDE RIEN!
MAIS NON...
10-8

ELLE N'EST PAS VENUE... JE SUIS RESTÉ PLANTÉ LÀ...
JE NE VEUX PAS LE SAVOIR!

TU SAIS, GARFIELD... JE T'AIME PLUS QUE LES GENS!
REDIS-MOI ÇA...
48 1979 United Feature Syndicate, Inc.
JIM DAVIS

MUNCH
MUNCH
MUNCH
10-9

SMACK!
SLURP!
GOBBLE!

1979 United Feature Syndicate, Inc.
JIM DAVIS

49

MA TANTE EVELYN EST LA PLUS ÉLÉGANTE CHATTE QUE JE CONNAISSE...
1979 United Feature Syndicate, Inc.
10-10

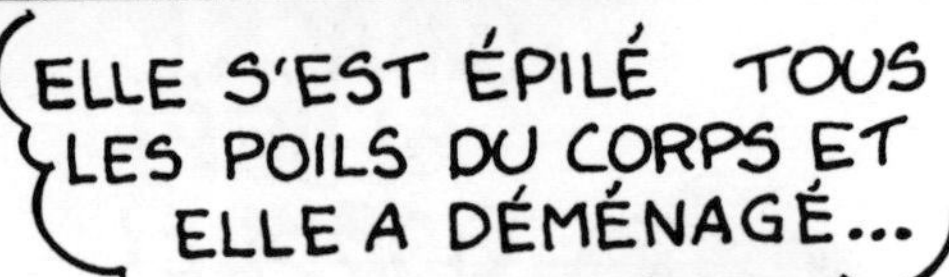
ELLE S'EST ÉPILÉ TOUS LES POILS DU CORPS ET ELLE A DÉMÉNAGÉ...

MAINTENANT, ELLE VIT A LOS ANGELES DANS UNE FAMILLE QUI LA PREND POUR UN CHIHUAHUA...
JIM DAVIS
50

YIP!
YIP!
YIP!
© 1979 United Feature Syndicate, Inc.

YIP!
YIP!

POUR LA DERNIÈRE FOIS, ODIE, TU POURSUIS TA QUEUE!
JIM DAVIS
51
10-11

GARFIELD, DOIS-TU TOUJOURS FAIRE CE QUE JE FAIS ?
10-12

ÇA N'ÉTAIT PAS TRÈS GENTIL!

APRÈS TOUT, LES CHATS SONT COMMÉ DES GENS PETITS AVEC UNE FOURRURE ET DES GRIFFES...
52 JIM DAVIS
1979 United Feature Syndicate

1979 United Feature Syndicate, Inc.
10-13

FWIP
FWIP
FWIP
FWIP
FWIP
FWIP
SHOOP!

UNE LANGUE VÉNITIENNE!
53
JIM DAVIS

RÉVEILLE-TOI, ENDORMI!

NOUS ALLONS PREN
DRE NOTRE PETIT
DÉJEÛNER DEHORS
CE MATIN!

OU, AILLEURS, POURRAIS-TU TROUVER UNE OEUVRE D'ART AUSSI PLEINE DE VIE ET CRÉÉE EXPRÈS POUR TOI? PURE ET AVEC LA PROMESSE D'UNE LUMINEUSE NOUVELLE JOURNÉE...

54

PARCE QUE JE VEUX PARTAGER CE MAGNIFIQUE LEVER DE SOLEIL AVEC TOI...
10.14
JIM DAVIS

AS-TU JAMAIS ADMIRÉ PLUS RESPLENDISSANTE VISION, GARFIELD? HO! GARFIELD?
1979 United Feature Syndicate, Inc

GARFIELD, ENLÈVE TA TÊTE DES OEUFS BROUILLÉS!...
ZZZZ

C'EST L'HEURE DU BAIN, GARFIELD !
10-15

SQUIP!

SAIN-DOUX
56
JIM DAVIS

T'ES PRIS!
10-16

AU BAIN!
SPLOOSH!

OU PEUT ÊTRE POOKY?
JIM DAVIS
1979 United Feature Syndicate, Inc

SAVON
© 1979 United Feature Syndicate, Inc.
10-17

SAVON

JE N'EN PEUX PLUS!
SAVON
JIM DAVIS
58

10-18

ZIP!!

© 1979 United Feature Syndicate, Inc.
C'EST PAS DU JEU! C'EST DÉLOYAL!
SAVON
JIM DAVIS
59

BONJOUR!
BONJOUR, IRMA!
10-19

LE CAFÉ EST FORT, TRÉSOR! IL VAUT MIEUX QUE TU LE PRENNES AVANT QU'IL T'AIT!
IL EST CHAUD?

YOUP...
CE N'EST PAS UN DE TES MEILLEURS RESTAURANTS!
JIM DAVIS
60

JE SUIS VENUE AU BOULOT SEULEMENT AVEC DE LA CRÈME ET DU ROUGE A LÈVRES, TRÉSOR! JE NE ME MAQUILLERAI PAS LES YEUX AVANT D'AVOIR UN RENDEZ-VOUS PASSIONNÉ! TU VOIS CE QUE JE VEUX DIRE?

LES GARS, JE SUIS CREVÉ...
1979 United Feature Syndicate Inc

62

ARGHHH!

CREVÉ, CREVÉ, CREVÉ, CREVÉ,...
10 21
JIM DAVIS

JE ME SENS MIEUX MAINTENANT !
63

© 1979 United Feature Syndicate, Inc.

SMACK!

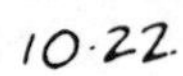
10·22

JE DÉTESTE LES PORTES VITRÉES!...
JIM DAVIS
64

10-23
© 1979 United Feature Syndicate, Inc.

HE ! GARFIELD ! OÙ EST ODIE ?
C'EST ASSEZ FACILE A DEVINER...

JIM DAVIS
IL SUFFIT DE SUIVRE LA BAVE !
65

NOURRI-TURE POUR CHATS
GARFIELD
10-24
© 1979 United Feature Syndicate, Inc.

INGREDIENTS VARIÉS
NOURRI-TURE POUR CHATS
GARFIELD

JE CRAINS LE PIRE!
GARFIELD
JIM DAVIS
66

POUR LA DERNIÈRE FOIS, **NON**, GARFIELD !
GARFIELD
10-25

QUEL EST LE PROBLÈME ?

IL VEUT CONSULTER LA CARTE DES VINS !
JIM DAVIS
© 1979 United Feature Syndicate, Inc.
67

TU POURRAS AVOIR LES RESTES QUAND J'AURAI TERMINÉ, GARFIELD...
1979 United Feature Syndicate, Inc

KONG!

INUTILE D'ÊTRE PATIENT QUAND ON EST AUSSI COSTAUD QUE JE LE SUIS!
68 10·26
JIM DAVIS

TU N'AS PAS FINI TON DÉJEUNER !
GARFIELD
10-27
© 1979 United Feature Syndicate, Inc.

TU AS MIS UNE HEURE POUR MANGER TES CÉRÉALES!
GARFIELD

TU SAIS QUE JE N'AIME PAS LES RAISINS!
GARFIELD
69
JIM DAVIS

SLIT!
10·28

PTOOEY!

BURP

© 1979 United Feature Syndicate, Inc
MUNCH
SMACK
SLURP

71

GARFIELD PEUT ÊTRE SI ECOEURANT QUE JE NE POURRAIS MÊ-ME PAS LE GATER DAVANTAGE !
JIM DAVIS

GENTIL CHAT, GARFIELD! DONNE-MOI LE JOURNAL ...
© 1979 United Feature Syndicate, Inc.
10-29

D'ABORD MON DÉJEUNER OU TU N'AURAS JAMAIS CE JOURNAL EN ENTIER!

POURQUOI TOUJOURS POSER DES CONDITIONS?!
ON N'A RIEN POUR RIEN, VIEUX!
JIM DAVIS

72

© 1979 United Feature Syndicate, Inc.

FLIP!

JIM DAVIS
J'AI COMPRIS!
73 10-30

ON DIRAIT QUE TU AS ENVIE DE FAIRE UN PETIT JOGGING CE MATIN, GARFIELD...
TU FAIS ERREUR, SUER HORS D'HALEINE !
8-27

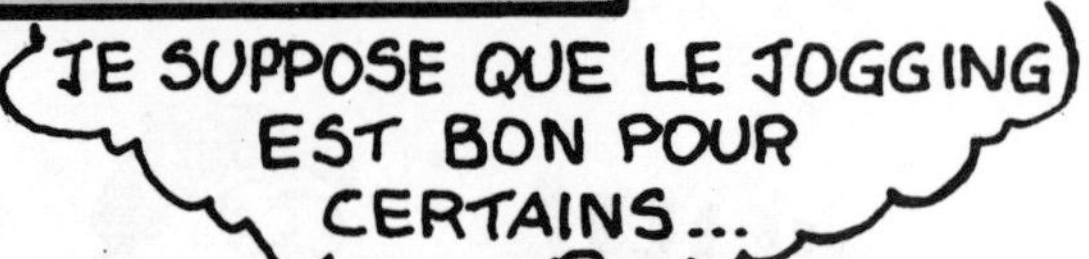
JE SUPPOSE QUE LE JOGGING EST BON POUR CERTAINS...

MAIS JE N'AI JAMAIS ÉTÉ UN FOU DES EFFORTS VIOLENTS!
© 1979 United Feature Syndicate, Inc.
JIM DAVIS

VOICI UN CONSEIL PRATIQUE POUR TOUS LES CÉLIBATAIRES...
© 1979 United Feature Syndicate, Inc.

VOUS POUVEZ GARDER VOTRE POUDRE A LAVER SÈCHE...

EN LA TRANSVASANT DANS UN RÉCIPIENT DE CUISINE !
75 11-1
JIM DAVIS

NOUS ALLONS VOIR LA VÉTÉRINAIRE, GARFIELD!

J'AI RENDEZ-VOUS A DIX HEURES...
11-2
JIM DAVIS
76

CLINIQUE
VETERINAIRE
© 1979 United Feature Syndicate, Inc.

HE, PETIT! VIENS, PETIT! OU ES-TU?

11-3
CLINIQUE
VETERINAIRE
BURP!
77 JIM DAVIS

Collection DARGAUD 16/22

DÉJÀ PARUS

1 ACHILLE TALON N'A PAS TOUT DIT - GREG
2 LES MAUVAIS INSTINCTS DE VALENTIN - TABARY
3 L'ÉPÉE DU PALADIN (Bob Morane) - VERNES-FORTON
4 L'EMPIRE DES MILLE PLANÈTES (Valérian) - MÉZIÈRES-CHRISTIN
5 LES ÉTATS D'ÂME DE CELLULITE (1re partie) - BRETECHER
6 RUBRIQUE-À-BRAC tome 1 (1re partie) - GOTLIB
7 L'ÉCOLE DES AIGLES (Tanguy) - CHARLIER-UDERZO
8 LE NAUFRAGE DU "A" (Philémon) - FRED
9 LE GRAND VOYAGE (Totoche) - TABARY
10 ET VOILÀ LE TRAVAIL - HUBUC
11 TIME IS MONEY tome 1 (1re partie) - FRED-ALEXIS
12 LES POUPÉES DE L'OMBRE JAUNE (Bob Morane) - VERNES-VANCE
13 RUBRIQUE-À-BRAC tome 1 (2e partie) - GOTLIB
14 LES VACANCES D'ACHILLE TALON - GREG
15 LE DÉMON DES CARAÏBES (Barbe Rouge) - CHARLIER-HUBINON
16 LE PRISONNIER RÉCALCITRANT (Valentin) - TABARY
17 LE PIANO SAUVAGE (Philémon) - FRED
18 POUR L'HONNEUR DES COCARDES (Tanguy) - CHARLIER-UDERZO
19 LES ÉTATS D'ÂME DE CELLULITE (2e partie) - BRETECHER
20 LE SECRET DES 7 TEMPLES (Bob Morane) - VERNES-FORTON
21 ACHILLE TALON A 50° DE FIÈVRE - GREG
22 LA CITÉ DES EAUX MOUVANTES (Valérian) - MÉZIÈRES-CHRISTIN
23 CINÉMASTOCK tome 1 (1re partie) - GOTLIB-ALEXIS
24 LE MEILLEUR AMI DE L'HOMME (Totoche) - TABARY
25 PIRATES DU CIEL (Tanguy) - CHARLIER-UDERZO
26 UNE PEAU DE BANANE DANS LE TEMPS - Time is money tome 1 (2e partie) - FRED-ALEXIS
27 L'ABC DE LA B.D. (Achille Talon) - GREG
28 SALADES DE SAISON (1re partie) - BRETECHER
29 LE CHÂTEAU SUSPENDU (Philémon) - FRED
30 LES FILS DU DRAGON (Bob Morane) - VERNES-VANCE
31 DÉFI À LUCKY LUKE - MORRIS-GOSCINNY
32 RUBRIQUE-À-BRAC tome 2 (1re partie) - GOTLIB
33 JONATHAN CARTLAND - BLANC-DUMONT-HARLE
34 ACHILLE TALON ET LE MAL APPRIS D'AMIS - GREG
35 LES ANGES NOIRS (Tanguy) - CHARLIER-JIJE
36 LA JUNGLE EN FOLIE - JOE LE TIGRE VOUS SALUE BIEN - MIC DELINX-GODARD
37 LES AS ET L'AFFREUX ÉLECTRONIQUE - GREG
38 LE FOND DE L'AIR EST FRAIS (1re partie) - GREG
39 LE ROI DES 7 MERS (Barbe Rouge) - CHARLIER-HUBINON
40 ACHILLE TALON VOISIN D'ÉLITE - GREG
41 CINÉMASTOCK tome 1 (2e partie) - GOTLIB-ALEXIS
42 LE PAYS SANS ÉTOILE (Valérian) - MÉZIÈRES-CHRISTIN
43 LA BALLADE DES DALTON (Lucky Luke) - MORRIS-GOSCINNY
44 RUBRIQUE-À-BRAC tome 2 (2e partie) - GOTLIB
45 LA JUNGLE EN FOLIE - HORREUR JUDICIAIRE - MIC DELINX-GODARD
46 ACHILLE TALON CHANTE NOËL - GREG
47 LE VOYAGE DE L'INCRÉDULE (Philémon) - FRED
48 LUCKY LUKE - SONATE EN COLT MAJEUR - GOSCINNY-MORRIS
49 SALADE DE SAISON tome 1 (2e partie) - BRETECHER
50 LE FILS DE BARBE ROUGE - CHARLIER-HUBINON
51 CINÉMASTOCK tome 2 (1re partie) - GOTLIB-ALEXIS
52 L'INVINCIBLE ACHILLE TALON - GREG
53 LA JUNGLE EN FOLIE - CORRIDA POUR UNE VACHE MAIGRE - MIC DELINX-GODARD
54 PAR LES CHEMINS DE L'ESPACE - MÉZIÈRES-CHRISTIN
55 MISSION SPÉCIALE 1re partie (Tanguy) - CHARLIER-JIJE
56 4 PAS DANS L'AVENIR - Time is money tome 2 (1re partie) - FRED-ALEXIS
57 DERNIER CONVOI POUR L'ORÉGON (Jonathan Cartland) - HARLE-BLANC-DUMONT
58 MISSION SPÉCIALE 2e partie (Tanguy) - CHARLIER-JIJE
59 RUBRIQUE-À-BRAC tome 3 (1re partie) - GOTLIB
60 SNOOPY SUPER CHAMPION - SCHULZ
61 LES MÉMOIRES DE SUBMERMAN - LOB-PICHARD
62 LE SEMBLE LUNE (Barbarella) - FOREST
63 CINÉMASTOCK tome 2 (2e partie) - GOTLIB-ALEXIS
64 LE FOND DE L'AIR EST FRAIS (2e partie) - FRED
65 LA JUNGLE EN FOLIE - Perrette et le grand méchant louloup - MIC DELINX-GODARD
66 RUBRIQUE-À-BRAC tome 3 (2e partie) - GOTLIB
67 ACHILLE TALON ET LE MYSTÈRE DE L'HOMME À DEUX TÊTES - GREG
68 SIMBABBAD DE BATBAD - FRED
69 BONNE ANNÉE SNOOPY - SCHULZ
70 LE SEMBLE LUNE (Barbarella) (2e partie) - FOREST
71 LES AS - QUENTIN GENTIL MÈNE L'ENQUÊTE - GREG
72 LUCKY LUKE - LE JUSTICIER - GOSCINNY-MORRIS
73 SPAGHETTI - SPAGHETTI ET LA PEINTOURE À L'HOUILE - GOSCINNY-ATTANASIO
74 L'ÎLE DE L'HOMME MORT (Barbe Rouge) - CHARLIER-HUBINON
75 LA JUNGLE EN FOLIE - LA CRISE - DELINX-GODARD
76 SNOOPY - TOUJOURS PRÊT! - SCHULZ
77 ACHILLE TALON ET LE QUADRUMANE OPTIMISTE - GREG
78 CLOPINETTES - MANDRYKA-GOTLIB
79 BIENVENUE SUR ALFLOLOL (Valérian) - CHRISTIN-MÉZIÈRES
80 RUBRIQUE-À-BRAC tome 4 (1re partie) - GOTLIB
81 SNOOPY ET LE BARON ROUGE - SCHULZ
82 SPAGHETTI - LE GRAND ZAMPONE - GOSCINNY-ATTANASIO
83 DESTINATION PACIFIQUE (Tanguy) - CHARLIER-JIJE
84 LE VAGABOND DES LIMBES - GODARD-RIBERA
85 SUPER DINGO - WALT DISNEY
86 LA LÉGENDE D'ALEXIS MAC COY - GOURMELEN-PALACIOS
87 LES COLÈRES DU MANGE-MINUTES - FOREST
88 LES AS - L'ÉCOLE DES CAMBRIOLEURS - GREG
89 CLOPINETTES (2e partie) - MANDRYKA-GOTLIB)
90 4 PAS DANS L'AVENIR - Time is money tome 2 (2e partie) - FRED-ALEXIS
91 RUBRIQUE-À-BRAC tome 4 (2e partie) - GOTLIB
92 SPAGHETTI, L'ÉTONNANTE CROISIÈRE - GOSCINNY-ATTANASIO
93 FLASH GORDON - GUY L'ÉCLAIR - LA PLANÈTE MONGO - ALEX RAYMOND
94 GRAND LOUP - WALT DISNEY
95 LE TRÉSOR DE VIRGULE (Achille Talon) - GREG
96 SNOOPY ET LES FEMMES - SCHULZ
97 LES OISEAUX DU MAÎTRE (Valérian) - CHRISTIN-MÉZIÈRES
98 SPAGHETTI, L'ÉMERAUDE ROUGE - GOSCINNY-ATTANASIO
99 UN NOMMÉ MAC COY - GOURMELEN-PALACIOS
100 MICKEY, LA GRANDE POURSUITE - WALT DISNEY
101 LA JUNGLE EN FOLIE - LE MOUTON ENRAGÉ - MIC DELINX-GODARD
102 FLASH GORDON - GUY L'ÉCLAIR - LA FLAMME DE LA MORT - ALEX RAYMOND
103 LE VAGABOND DES LIMBES - L'EMPIRE DES SOLEILS NOIRS - GODARD-RIBERA
104 L'ÎLE DES BRIGADIERS (Philémon) - FRED
105 LES RÉVOLTÉS DE L'OCÉANE (Barbe Rouge) - CHARLIER-HUBINON
106 SPAGHETTI À LA FÊTE - GOSCINNY-ATTANASIO
107 NARVAL COULE À PIC (Barbarella) - FOREST
108 RUBRIQUE-À-BRAC tome 4 (3e partie) - GOTLIB
109 SUPER DINGO - SECRET, SUPER-SECRET - WALT DISNEY
110 LA JUNGLE EN FOLIE - LE COMPLEXE SIDÉRURGIQUE - MIC DELINX-GODARD
111 LE GÉNIE DES ALPAGES - F'MURR
112 GRAND LOUP - PIS QUE PENDRE - WALT DISNEY
113 RIO PECOS (Mac Coy) - GOURMELEN-PALACIOS
114 FLASH GORDON - GUY L'ÉCLAIR - LE ROYAUME PERDU - ALEX RAYMOND
115 SNOOPY ÉCRIVAIN - SCHULZ
116 LES AS ET L'ALCHIMISTE - GREG
117 LA MACUMBA DU GRINGO - PRATT
118 LE GRAND DUDUCHE tome 1 (1re partie) - CABU
119 SUPER DINGO - LE ROI DES HÉROS - WALT DISNEY
120 LE VAGABOND DES LIMBES - LES CHAROGNARDS DU COSMOS - GODARD-RIBERA
121 SPAGHETTI À PARIS - GOSCINNY-ATTANASIO
122 LA MAISON DE SNOOPY - SCHULZ
123 LE ROI DES ZOTRES (Achille Talon) - GREG
124 GRAND LOUP - LA MAIN DANS LE SAC - WALT DISNEY
125 RUBRIQUE-À-BRAC tome 5 (1re partie) - GOTLIB
126 ADIEU SPECTRA (Barbarella) - FOREST
127 LA JUNGLE EN FOLIE - RIEN NE VA PLUS, LES ŒUFS SONT FRAIS - MIC DELINX-GODARD
128 PIÈGES POUR MAC COY - GOURMELEN-PALACIOS
129 SNOOPY ET LES CHATS - SCHULZ
130 SPAGHETTI À HOLLYWOOD - ATTANASIO-DUVAL
131 LE GRAND DUDUCHE tome 1 (2e partie) - CABU
132 L'AMBASSADEUR DES OMBRES (Valérian) - CHRISTIN-MÉZIÈRES
133 FLASH GORDON - GUY L'ÉCLAIR - LE MONDE SOUS-MARIN - ALEX RAYMOND
134 RUBRIQUE-À-BRAC tome 5 (2e partie) - GOTLIB
135 LA JUNGLE EN FOLIE - LA BELLE AU BOIS RONFLANT - MIC DELINX-GODARD
136 SNOOPY, LA VIE EST BELLE! - SCHULZ
137 LES AS ET L'HOMME QUI VENAIT DU FROID - GREG
138 LE VAGABOND DES LIMBES - LES DÉMONS DU TEMPS IMMOBILE - GODARD-RIBERA
139 SUPER DINGO - LE FEU AUX POUDRES - WALT DISNEY
140 TRUCS-EN-VRAC (1re partie) - GOTLIB
141 LES ANGOISSES DE CELLULITE (1re partie) - BRETECHER
142 ACHILLE TALON - LE COQUIN DE SORT - GREG
143 SNOOPY ET LE SPORT - SCHULZ
144 DUDUCHE - IL LUI FAUDRAIT UNE BONNE GUERRE (1re partie) - CABU
145 LE TRIOMPHE DE MAC COY - GOURMELEN-PALACIOS
146 GRAND LOUP - VIVE LE RÊVE - WALT DISNEY
147 ANDY CAPP - IL FAIT SOIF - REG SMYTHE
148 LE VAGABOND DES LIMBES - L'ALCHIMISTE SUPRÊME - GODARD-RIBERA
149 GARFIELD - JE SUIS UN GROS CHAT - JIM DAVIS
150 LA JUNGLE EN FOLIE - LE CROQUE-MITAINE - MIC DELINX-GODARD
151 TRUCS-EN-VRAC (2e partie) - GOTLIB
152 SNOOPY - LE GRAND BRAQUE - SCHULZ
153 ACHILLE TALON - LE GRAIN DE LA FOLIE - GREG
154 HAGÄR DUNOR - DIK BROWNE
155 LE GÉNIE DES ALPAGES - COMME DES BÊTES - F'MURR
156 SUPER DINGO - INCROYABLE, MAIS SUPER... VRAI! - WALT DISNEY
157 LES AS - QUENTIN GENTIL ASSURE TOURISTE... - GREG
158 ANDY CAPP - UN BEAU COUPLE - REG SMYTHE
159 SNOOPY ET SES AMIS - SCHULZ
160 GARFIELD ANTHOLOGIE (tome 1) - JIM DAVIS
161 MAC COY - WANTED MAC COY - GOURMELEN-PALACIOS
162 LA JUNGLE EN FOLIE - ENTRE CHÈVRE ET LOUVE - MIC DELINX-GODARD
163 HAGÄR DUNOR - VIKINGS, HAUT LES CŒURS! - DIK BROWNE
164 ANDY CAPP - AÏE, IL Y A DE L'EMBAUCHE! - REG SMYTHE
165 ACHILLE TALON - VIVA PAPA! - GREG
166 LE VAGABOND DES LIMBES - QUELLE RÉALITÉ PAPA! - GODARD-RIBERA
167 SNOOPY, C'EST LE PRINTEMPS - SCHULZ
168 GARFIELD ANTHOLOGIE (tome 2) - JIM DAVIS
169 SUR LES TERRES TRUQUÉES (Valérian) - CHRISTIN-MÉZIÈRES
170 LE FANTÔME DE WAH-KEE (Jonathan Cartland) - HARLE - BLANC-DUMONT
171 HAGAR DUNOR - À LA VÔTRE! - DIK BROWNE
172 ANDY CAPP - MOI, FAINÉANT! REG SMYTHE
173 LES AS - DRÔLE D'AIR POUR LES AS - GREG
174 CACTUS JOE - WOLINSKI
175 ACHILLE TALON - MA VIE À MOI - GREG
176 GARFIELD - PITIÉ, J'AI FAIM - JIM DAVIS
177 SNOOPY - RIEN QUE DE L'AMOUR - SCHULZ
178 DINGODOSSIERS tome 1 (1re partie) - GOSCINNY-GOTLIB